Planed arbennig Harri

© Testun: Sioned V Hughes 2013
© Delweddau: Canolfan Peniarth, Prifysgol Cymru Y Drindod Dewi Sant, 2013

Dyluniwyd a darluniwyd gan Rhiannon Sparks

Cyhoeddwyd yn 2013 gan Ganolfan Peniarth

Mae Prifysgol Cymru Y Drindod Dewi Sant yn datgan ei hawl moesol dan Ddeddf Hawlfraint, Dyluniadau a Phatentau 1988 i gael ei hadnabod fel awdur a dylunydd y gwaith yn ôl eu trefn.

Roedd Harri mewn tymer ddrwg. Roedd e'n teimlo'n ddiflas iawn ac yn anhapus.

Doedd e ddim eisiau mynd am bicnic i'r parc. Roedd e eisiau chwarae ei hoff gêm fideo 'Planed Mawrth'.

Credai Harri fod y blaned Mawrth yn blaned llawer mwy diddorol na'r Ddaear. Edrychodd Harri o'i gwmpas.

Does dim byd i'w wneud yn y parc. Lle diflas iawn ydy'r Ddaear.

4

Yn sydyn, clywodd sŵn rhyfedd. Doedd e ddim wedi clywed sŵn fel hyn o'r blaen.

Edrychodd o'i gwmpas. Edrychodd i fyny ac i lawr. Edrychodd i'r chwith ac i'r dde. Edrychodd y tu ôl ac o'i flaen.

"O ble mae'r sŵn yn dod? Tybed pwy neu beth sy'n gwneud y sŵn?" gofynnodd Harri i'w hunan.

Yna gwelodd rywbeth du ar y llawr o flaen y goeden.
Rhedodd i weld beth oedd yno.

Aderyn bach oedd yno. Dyna ryfedd, meddyliodd
Harri. Doedd e ddim yn hedfan i ffwrdd.

Fel arfer, byddai adar yn hedfan i ffwrdd pan fyddai
Harri yn mynd yn agos atyn nhw.

Gwelodd Harri ddarn o blastig ar droed yr aderyn.

Roedd yr aderyn yn sownd!

Tynnodd Harri'r bag plastig i ffwrdd yn ofalus
ac fe hedfanodd yr aderyn bach.

"Diolch, diolch!" crawciodd yr aderyn wrth
hedfan i ffwrdd.

Penderfynodd Harri roi enw i'r aderyn.
Enwodd e yn Arthur, yr aderyn bach du.

"O ble daeth y bag plastig, Mam?" gofynnodd Harri, wrth fynd yn ôl at ei fam.

"Dyma beth sy'n digwydd pan mae sbwriel yn cael ei daflu ar y llawr," atebodd ei fam.

"Rhaid i ni ofalu am anifeiliaid ac adar ar y Ddaear.

"Mae'r Ddaear hefyd yn perthyn i'r anifeiliaid a'r adar.

"Rydym yn rhannu'r Ddaear gyda'r anifeiliaid a'r adar," esboniodd ei fam.

Roedd Harri yn dechrau mwynhau ei hun yn y parc, wedi'r cyfan.

Tra roedd ei fam yn paratoi'r picnic penderfynodd Harri ddringo coeden.

Gwelodd Harri lawer o bethau diddorol o ben y goeden. Gwelodd Arthur yr aderyn bach du yn hedfan o un goeden i'r llall.

Gwelodd hwyaid yn nofio yn y llyn. Gwelodd ddefaid a gwartheg yn y caeau. Yn y pellter gwelodd y traeth a'r môr.

Dechreuodd Harri feddwl...

Pwy sydd wedi creu'r blodau?

Pwy sydd wedi gwneud y mynydd a'r môr?

Pam nad yw popeth yn aros yr un fath?

Pam mae pethau yn newid ac yn symud?

Sut mae'r blodau yn gwybod pryd i dyfu o flwyddyn i flwyddyn?

Efallai nad oedd y blaned mor ddiflas wedi'r cyfan.

"Harri ble wyt ti? Dere i gael picnic!" gwaeddodd ei fam.

Roedd Harri eisiau bwyd ar ôl iddo ddringo coeden.

"Roeddwn yn teimlo'n fach iawn ar ben y goeden," dywedodd Harri. "Roedd popeth i'w weld mor fach."

"Er dy fod yn fach rwyt ti'n bwysig ac yn arbennig.

"Rhaid gofalu am bopeth, yr holl bethau byw, bach a mawr sydd ar y Ddaear.

"Maen nhw i gyd yn helpu i wneud y Ddaear yn lle arbennig i fyw. Mae'n bwysig parchu popeth ar y Ddaear," meddai ei fam.

"Pam fod rhaid i ni fynd â phopeth adref?" gofynnodd Harri i'w fam.

"Mae sbwriel yn gallu bod yn beryglus iawn i anifeiliaid. Wyt ti'n cofio beth ddigwyddodd i'r aderyn bach du?" holodd ei fam.

"Os ydyn ni'n gadael sbwriel ar ôl, rydyn ni'n llygru'r Ddaear. Rhaid i ni barchu'r Ddaear. Dim ond olion troed ddylen ni eu gadael yn y parc," dywedodd ei fam.

"Beth ddylen ni ei wneud gyda'r sbwriel?" gofynnodd Harri.

"Fe ddyweda' i wrthyt ti ar ôl cyrraedd adref," atebodd ei fam.

"Pam mae'n rhaid i ni gerdded, Mam? Pam na awn ni yn y car, Mam?" cwynodd Harri wrth gerdded adref o'r parc.

"Mae ceir yn creu nwyon sy'n gallu achosi llygredd a gwneud yr aer yn fudr, ac mae hynny'n gallu lladd planhigion a choed. Felly os ydym yn defnyddio llai o'n ceir, rydym yn achosi llai o lygredd, ac hefyd yn defnyddio llai o danwydd.

"Wrth wneud hyn byddwn ni'n arbed tanwydd yn hytrach na'i wastraffu. Hefyd, mae'n dda i bobl gadw'n heini a cherdded yn yr awyr iach," atebodd ei fam.

"Mam, beth wnawn ni gyda'r sbwriel?" gofynnodd Harri ar ôl cyrraedd adref.

"Fe wnawn ni ailgylchu'r gorchudd papur a'i roi yn y bin papur," atebodd ei fam.

"Fe wnawn ni daflu'r croen banana a chrystiau'r brechdanau i'r bin compost. Fe fydd y mwydod yn eu defnyddio i wneud pridd ac felly dydyn ni ddim yn gwastraffu o gwbl," esboniodd ei fam.

"Fe wnawn ni ail ddefnyddio'r bag plastig i gael picnic y tro nesaf," eglurodd ei fam.
"Wrth wneud hyn rydym yn gwastraffu llai ac yn helpu i ofalu am y blaned."

Tra roedd Harri yn brwsio ei ddannedd y noson honno, atgoffodd ei fam ef i gau'r tap.

"Pam mae'n rhaid i fi gau'r tap bob tro, Mam?" gofynnodd Harri.

"Mae'n bwysig gofalu am y dŵr yn ein byd. Rhaid cofio peidio â gwastraffu dŵr. Mae dŵr y Ddaear yn bwysig iawn. Rydyn ni'n rhannu'r dŵr gyda phopeth byw ar y blaned," eglurodd ei fam.

Penderfynodd Harri gau'r tap bob tro wrth frwsio ei ddannedd wedi hyn. Doedd e ddim eisiau bod yn hunanol a gwastraffu dŵr.

Cyn mynd i'w wely y noson honno
aeth Harri i'r ystafell fyw a
diffodd y gêm consol.

Wrth adael pethau ar 'stand-by'
rydym yn gwastraffu ynni.

Doedd e ddim eisiau gwastraffu ynni.
Roedd e eisiau helpu i warchod y blaned.

Edrychodd Harri ar y glôb yn ei ystafell wely.
Roedd cymaint mwy i'w ddysgu am y byd.

24

"Fy nghyfrifoldeb i ydy gofalu am y Ddaear," meddyliodd Harri wrth ei hunan. Y noson honno breuddwydiodd Harri ei fod wedi ennill gwobr am ofalu am y Ddaear, y blaned arbennig.

"Ydy, mae'r Ddaear yn arbennig a dyma ble rydyn ni'n byw!" dywedodd Harri wrth ei hunan.

Canolfan Peniarth

Canolfan gyhoeddi Prifysgol Cymru: Y Drindod Dewi Sant
Publishing house of University of Wales: Trinity Saint David

Pecyn addysg Tric a Chlic.
Cynllun ffoneg synthetig, systematig a dilyniadol i'r Cyfnod Sylfaen.

Tric a Chlic education pack.
Welsh language program for synthetic phonics, systematic and progressive to the Foundation Phase.

Rho gynnig arni!
Cardiau Her y Cyfnod Sylfaen - Darpariaeth Barhaus

Have a go!
Foundation Phase Challenge Cards - Continuous Provision

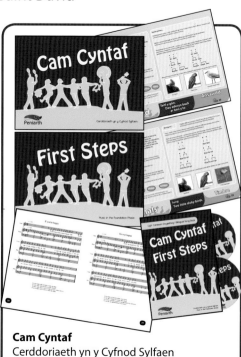

Cam Cyntaf
Cerddoriaeth yn y Cyfnod Sylfaen

Adnodd gwreiddiol i gefnogi cerddoriaeth, fel rhan o'r Maes Dysgu 'Datblygiad Creadigol' yn y Cyfnod Sylfaen.

First Steps
Music in the Foundation Phase

An original resource to support music, as part of the 'Creative Development' Area of Learning in the Foundation Phase.

www.canolfanpeniarth.org